Rébus et Devinettes
LES
ANIMAUX

Textes de Burton Marks
Illustration de Paul Harvey
Adaptation française par Image et Page

Image et Page

LA SOIRÉE DES ANIMAUX

« Nous mettrons nos , » dirent les 3

« Je porterai ma jolie , » dit Millie, la

« Je mettrai ma à pois, » dit Donald, le

« Nous mettrons nos » dirent les

« Nous mettrons nos , » dirent les frères

Et ils firent tous comme ils l'avaient dit.

QUI SUIS-JE ?

Regarde-moi, regarde-moi bien !
Regarde tout ce que je peux faire.

Je peux être un ,

Je peux être une ,

Ou je peux être un

Et marcher sur le toit de la .

Je peux être un .

Je peux être un .

Ou je peux être un

et voler haut dans le ciel.

Je peux être un

et me balancer dans les  .

Quand je joue à « qui suis-je ? »,

Je peux être tout ce que je veux !

DESSINS ET DEVINETTES

- Quel est le gentil lion qui habite dans le jardin ?

- Quel est le genre de chien qui se mange chaud ?

- Quelle est la meilleure façon d'ouvrir une banane ?

- Qu'est-ce que tu obtiens si tu maries un cochon avec une boîte d'épingles ?

- Comment appelle-t'on un vieux monsieur grincheux et méchant ?

- le pissenlit ou dent-de-lion
- un vieux crabe
- demander au singe
- un hot-dog
- un porc-épic

LA VILLE DU SENS-DESSUS-DESSOUS

As-tu déjà entendu un  dire  Meuh ! ,

et as-tu déjà vu une  à pois verts ?

Ces choses étranges existent partout

dans la ville du Sens-Dessus-Dessous.

Les  sont doux comme la soie,

et les  font du chocolat au lait.

Les  rient, et les hyènes pleurent beaucoup

dans la ville du Sens-Dessus-Dessous.

Les 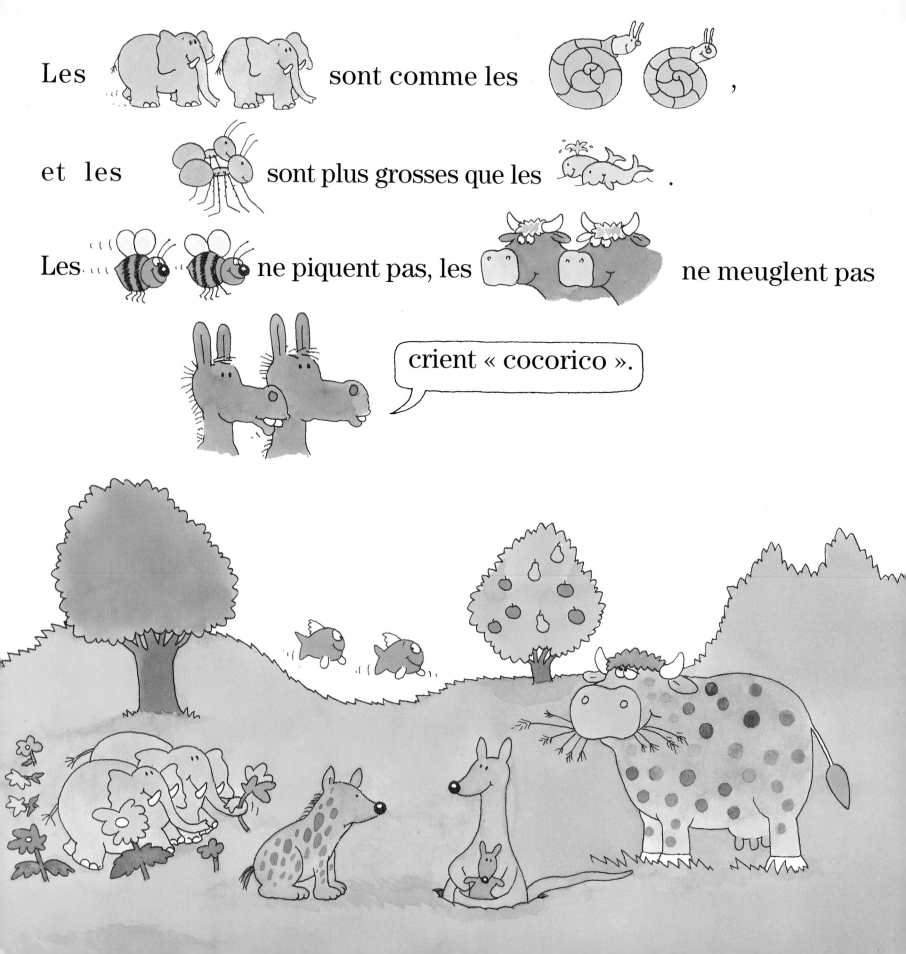 sont comme les ,

et les sont plus grosses que les .

Les ne piquent pas, les ne meuglent pas

crient « cocorico ».

Les  ne disent plus un mot,

et les  vivent dans des terriers.

Les  sont verts et les  sont marrons.

Dans cette ville du Sens-Dessus-Dessous.

Les  savent nager et les  peuvent voler.

Mais, - s'il te plaît - , ne me demande pas pourquoi ?
Car *tout* est fou dans l'incroyable ville
du Sens-Dessus-Dessous.

QUEL SPECTACLE !

Quand les animaux montent un spectacle

je grimpe sur ma 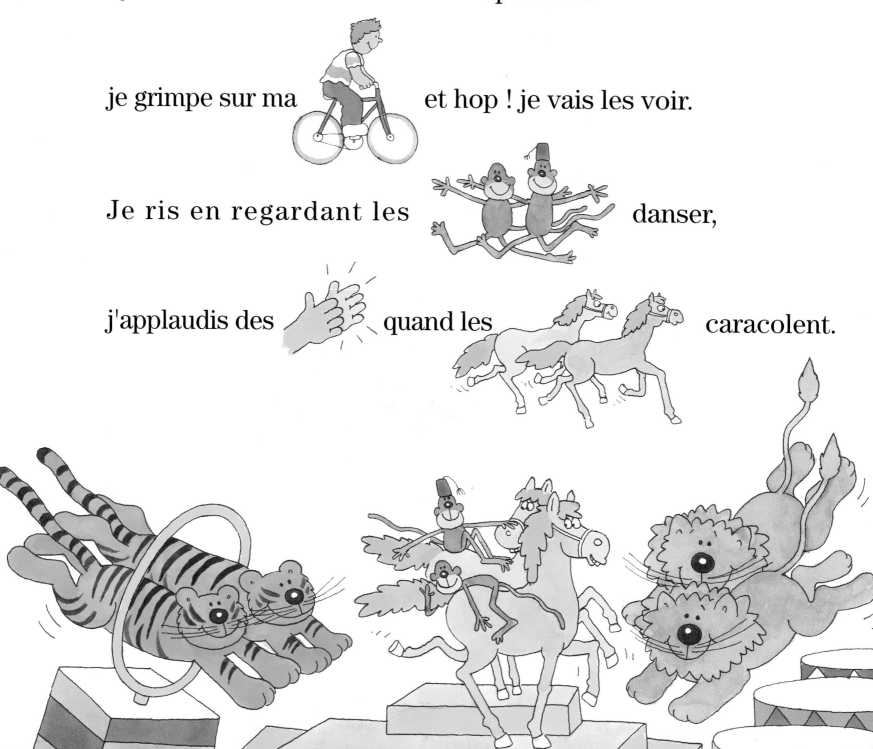 et hop ! je vais les voir.

Je ris en regardant les danser,

j'applaudis des quand les caracolent.

Les  et les

s'élancent dans les airs,

et un  conduit une

avec un gros derrière.

Dans tout l'

Je connais peu de choses

qui me semblent aussi drôles

que les spectacles d'animaux !

DESSINS ET DEVINETTES

• Comment appelles-tu ton papa quand il te fait des câlins ?

• Qu'est-ce qui est un légume et une fleur en même temps ?

• Quel animal es-tu quand tu es très en colère ?

• Quelle est la poupée qui peut danser et courir sans jambes ?

• Comment s'appelle l'homme qui fait peur aux oiseaux ?

• mon ours
• une marionnette
• un dragon
• le chou-fleur
• un épouvantail

L'HÔTE DE MON JARDIN

Joli petit

qui vole dans le pâle bleu du ciel,

je ne peux croire qu'autrefois tu étais

une grosse et vilaine

.

PAUVRE KANGOUROU

« Que vais-je faire ? », dit  . « Je n'arrive

pas à trouver mon autre .

Mon et mon ont aussi disparu.

Où peuvent-ils être ? J'aimerais le savoir.

Il y a quelque chose de bizarre ici,

car ma de baseball a disparu aussi ;

mes belles et mon gentil ,

je ne les trouve nulle part !
Où peuvent-ils bien être ?
Je ne sais pas comment faire ! Peux-tu m'aider ? »

Gentil lecteur,
peux-tu aider kangourou à trouver
ses chaussettes, sa chaussure,
son chapeau et son ourson, son écharpe
et sa batte de baseball ?

LE CRI DES ANIMAUX

« Bonjour » , ai-je dit aux animaux.
« Je vous souhaite une bonne journée. »

Le 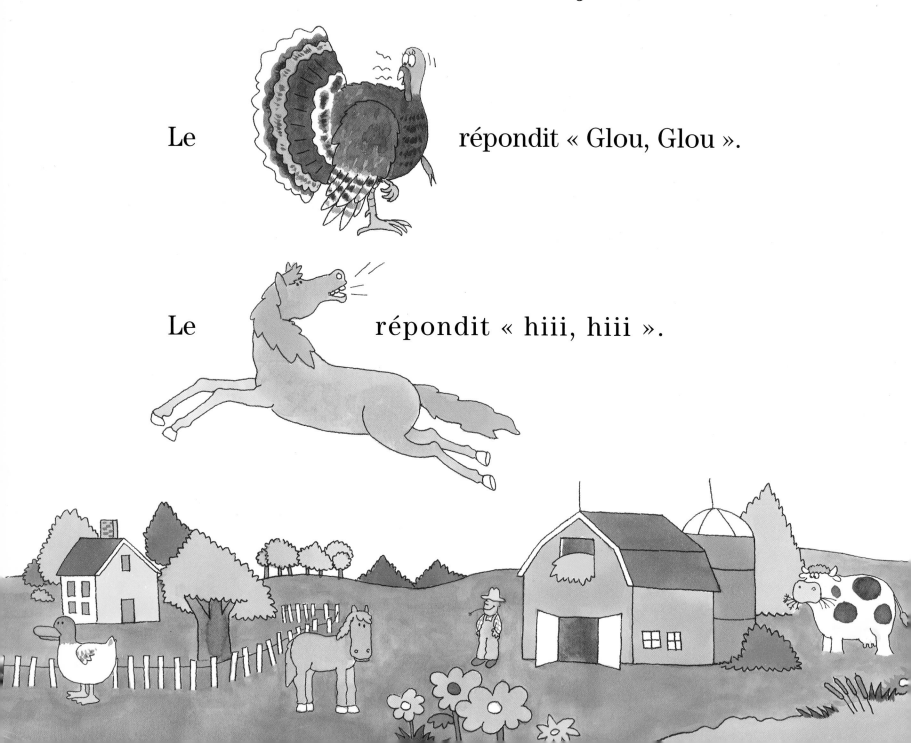 répondit « Glou, Glou ».

Le répondit « hiii, hiii ».

Le  aboya « Wouah, wouah ».

« Meuh, meuh » dit la  .

La  répondit « côt, côt, codec ».

« Coin, coin » dit le  .

Les  dirent « Chiip, chiip ».

Le  lança un « cocorico ».

« Bêê, bêêê » , dirent les  .

Et la vieille avisée conclut « hou, hou ».

Et moi, j'ai répondu : « Cela a été très agréable de parler avec vous. »

DESSINS ET DEVINETTES

- Quel est l'animal qui a dit : « On a souvent besoin d'un plus petit que soi » ?

- Connaîs-tu le conte du vilain petit… ?

- Quel est l'animal marin qui scintille ?

- Quel est le personnagequi peut mettre des Bottes de Sept Lieues ?

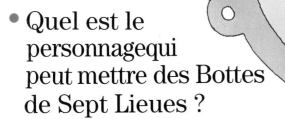

- Quel est l'animal qui était le plus important pour les chevaliers du Moyen-Age ?

- un lion
- un géant
- une étoile de mer
- canard
- un cheval

Au revoir et à bientôt.

J'espère que tu t'es bien amusé

en lisant ce drôle de  .